第一模块　乳鸽烹饪的基本功实训

实训项目一

名称：认知厨房

学时：1学时

对象：高一学生

实训项目		认知厨房
目的与要求		1. 认知厨房（实训场地）和设备设施 2. 认知实训现场和工作过程 3. 体会烹饪实训的工作特点和工作任务 4. 认知安全规章制度
技术理论与原理		让学生尽快了解烹饪实训及教学场地的环境要素、设备管理要求及安全操作规范。养成正确穿戴工装和保持安全卫生的良好习惯，学会按照现场管理制度清理现场、归置物品，为规范实训奠定基础
实训方法	工艺流程	参观实训教室—认知烹饪及设备等—学习实训制度—认知安全知识
	操作过程及方法	教师带领学生边参观边讲解，突出安全教育及实训规则教育
实训组织	教师演示	内容：参观实训场地，了解相关内容 方式：讲解、示范 时间：30分钟
	学生实训	内容：参观实训场地，认知烹饪及相关制度、安全知识等 分组：2人1组 时间：10分钟
	教师点评	小结、评分 时间：5分钟
实训准备	场地	实训室
	工具	灶炉、荷台、蒸柜、烤箱等
	材料	—

（续表）

实训项目	认知厨房
作业与思考题	请阐述实训课应该遵守哪些规则

评价内容与配分建议

考核评价与成绩评定	学习态度	课堂表现
	50	50

实训项目二

名称：认知与使用厨房设备及厨具

学时：1 学时

对象：高一学生

实训项目		认知与使用厨房设备及厨具
目的与要求		1. 学习使用厨房设备 2. 感知实训现场和工作过程 3. 体会烹饪实训的工作特点和工作任务 4. 认知厨房安全规章制度
技术理论与原理		让学生了解烹饪实训及教学场地的环境要素、设备管理要求及安全操作规范。养成正确穿戴工装和保持安全卫生的良好习惯，学会按照现场管理制度清理现场、归置物品，为规范实训奠定基础
实训方法	工艺流程	认知厨房设备及厨具—使用厨房设备及厨具实训—学习实训制度—认知安全知识
	操作过程及方法	教师边讲解边示范，介绍厨房各种设备及厨具的使用方法并进行示范，突出安全教育及制度教育
实训组织	教师演示	内容：使用厨房设备及厨具 方式：讲解、示范 时间：20 分钟
	学生实训	内容：使用厨房设备及厨具，学习相关制度、安全知识等 分组：2 人 1 组 时间：20 分钟
	教师点评	小结、评分 时间：5 分钟
实训准备	场地	实训室
	工具	灶炉、荷台、蒸柜、烤箱等
	材料	—
作业与思考题		介绍常见的厨房设备有哪些

评价内容与配分建议

考核评价与成绩评定	学习态度	实操表现
	50	50

实训项目三

名称：厨房安全

学时：1 学时

对象：高一学生

实训项目		厨房安全
目的与要求		1. 认知安全规章制度，可安全操作厨房各项设备工具 2. 综合实训各项有安全要求的项目
技术理论与原理		让学生了解烹饪实训及教学场地的环境要素、设备管理要求及安全操作规范。养成正确穿戴工装和保持安全卫生的良好习惯，学会按照现场管理制度清理现场、归置物品，为规范实训奠定基础
实训方法	工艺流程	1. 认知安全规章制度，可安全操作厨房各项设备工具 2. 综合实训—评估
	操作过程及方法	认知安全规章制度，可安全操作厨房中的水、火、电、刀等。教师带领学生边讲解边示范边实训，突出安全教育及制度教育
实训组织	教师演示	内容：各项安全项目 方式：讲解、示范 时间：20 分钟
	学生实训	内容：实训各项有安全要求的项目，学习相关制度、安全知识等 分组：2 人 1 组 时间：20 分钟
	教师点评	小结、评分 时间：5 分钟
实训准备	场地	实训室
	工具	灶炉、荷台、蒸柜、烤箱等
	材料	—
作业与思考题		厨房应该掌握和应用的安全知识有哪些

评价内容与配分建议

考核评价与成绩评定	学习态度	实操表现
	30	70

实训项目四

名称：操刀

学时：1学时

对象：高一学生

实训项目		操刀
目的与要求		1. 仪容仪表符合要求，姿势规范 2. 能正确使用各种用具 3. 体会刀工技能的综合应用
技术理论与原理		美味佳肴，刀工先行，刀工具有较高的技术性，更具有较强的工艺性。刀工是使原料呈现出各种不同的形状，美化菜肴形态的加工手段。心平气和，多切多练，是练好刀工的基础。一把顺手、锋利的菜刀是前提。砧板要厚实，要重，表面要平整。案台要稳，高度要适合自己
实训方法	工艺流程	站立—持刀—操作
	操作过程及方法	1. 站立姿势。两脚自然分立站稳，身体略向前倾，前胸稍挺，不要弯腰曲背，目光注视两手操作部位，身体与砧板保持一定的距离 2. 持刀姿势。一般以右手握刀，握刀部位适中，用右手大拇指与食指捏着刀身，用力握住刀柄，握刀时手腕要灵活而有力，操作时主要利用腕力 3. 操作姿势。根据原料性能，左手稳住原料时用力也分大小，不能一律对待。左手稳住物料移动的距离和移动的快慢必须配合右手落刀的快慢，两手应紧密而有节奏地配合。切原料时左手必须呈弯曲状，手掌后端要与原料略平行，利用中指第一关节抵住刀身，使刀有目标地切下，刀刃不能高于关节，否则容易将手指切伤 4. 正确的放刀方法。刀柄朝左，刀头向右，刀背向外，放到砧板中间
实训组织	教师演示	内容：操刀实训 方式：讲解、操作演示 时间：15分钟
	学生实训	内容：操刀实训 分组：单独操作 时间：25分钟
	教师点评	小结、评分 时间：5分钟

（续表）

实训项目		操刀
实训准备	场地	实训室
	工具	刀具、砧板、抹布
	材料	清水、白萝卜250克
作业与思考题		1. 持刀的基本操作姿势是怎样的 2. 操刀的主要技能有哪些

评价内容与配分建议

考核评价与成绩评定	站立姿势	持刀姿势	操作姿势
	30分	30分	40分

实训项目五

名称：磨刀

学时：1学时

对象：高一学生

实训项目		磨刀
目的与要求		1. 磨刀是刀工技能的基础，是练好刀工的前提。练习好磨刀技能，可以为刀工训练打好基础 2. 掌握磨刀的方法和刀具锋利程度的鉴别方法
技术理论与原理		刚买的菜刀表面看着很光滑，但细细摸起来却很粗糙，而且刀刃两侧均有很明显的两条棱纹。磨刀时，应将刀刃两侧的棱纹磨平，使刀身两侧平面相交处成为刀刃。至于刀面，应以先粗磨刀石后细磨刀石的顺序均匀地磨光滑
实训方法	工艺流程	准备工作—磨刀方法—鉴别—保养
	操作过程及方法	1. 准备工作 　磨刀的主要器具是磨刀石，分粗、细两种。刀通过在磨刀石上反复磨砺，刀刃才会锋利。 　磨刀时先在粗磨刀石上磨出锋口，然后在细磨刀石上磨好锋刃。二者结合能缩短磨刀时间，延长菜刀的使用寿命。 2. 磨刀方法 （1）平磨法：左手握住刀柄，右手扶住刀头，刀身端平，刀与磨刀石略呈一定角度，向前平推至磨刀石的尽头，再向后拉回。当磨刀石表面起浆时，需加适量的水后再磨。 （2）竖磨法：刀柄向里，右手持刀柄，刀背向右，左手按住刀面磨制。 3. 鉴别 　菜刀以光泽均匀，刀刃锋利，无缺口、无锈迹者为佳。具体鉴定方法如下： （1）刀刃朝上，两眼直视刀刃，若只见一道看不出反光的细线，表明刀已锋利；若有白痕或一条反光的白色细线，则此处刀刃不锋利。 （2）刀刃在砧板上轻推，若打滑，刀刃不锋利；若推不动或有涩感，则刀刃锋利。 （3）刀刃放在大拇指上轻轻拉一拉，若有涩感，则刀刃锋利；若感觉光滑，则刀刃不锋利。 4. 保养 （1）菜刀用完后，用清洁的布擦干污物和水分，晾干或涂少许油。

（续表）

实训项目		磨刀
		（2）菜刀用完后，要插在刀架上，且应放在安全干燥处，不要随手乱放。 （3）菜刀要经常磨，磨刀时要做到正反次数一致，磨两头带中间。 （4）长时间不用的菜刀，应在刀身两面涂一层干淀粉或植物油
实训组织	教师演示	内容：磨刀实训 方式：操作演示 时间：15分钟
	学生实训	内容：磨刀实训 分组：单独操作 时间：25分钟
	教师点评	小结、评分 时间：5分钟
实训准备	场地	实训室
	工具	刀具、磨刀石、抹布
	材料	清水
作业与思考题		1. 磨刀时要注意哪些问题 2. 如何鉴别刀具磨后的锋利程度

评价内容与配分建议

考核评价与成绩评定	磨刀姿势	磨刀方法	锋利程度
	30分	30分	40分

实训项目六

名称：持锅

学时：1 学时

对象：高一学生

实训项目		持锅
目的与要求		1. 了解各种烹调锅具的名称和用途 2. 掌握各种烹调锅具的操作方法
技术理论与原理		1. 常用的烹调工具有锅具、木勺、炒勺等 2. 持锅有 4 个要求，即把锅拿稳不脱手；操作灵活、便利；合理用力、省力；安全不扭伤 3. 持锅抛料分为小翻和大翻。小翻是指将锅连续向上翻动，使锅内原料翻转和匀，芡汁包裹均匀，避免粘底或者烧煳。翻动时，一般不应使菜肴超出锅口。大翻是指将锅内的原料一次全部翻身，"收""送""抛""接" 4 个动作要连贯进行。持锅旋锅又称旋转翻，使原料贴在锅中连续转动，这样可以使原料受热均匀
实训方法	工艺流程	持锅—持锅抛料—持锅旋锅—持勺—持勺翻料、装料—持锅铲—洗锅
	操作过程及方法	1. 持锅 身体立直，面向炉灶，上身略向前倾，双脚呈"八"字步站稳。拿好叠好的锅布，左手掌心朝上，五指自然合拢，握住锅手柄上部。 2. 持锅抛料 （1）小翻。将锅端平稳，先往前送出，使原料借助惯性滑到锅前端，然后顺势将锅盘略微上扬，使原料不会滑出锅边，同时再将锅向后轻拉，将锅内的原料翻转 1／2 左右。 （2）大翻。将锅端平稳，往上斜举 45°～70°，借助惯性将原料送起，使其整体翻转过来，然后顺势使锅缓慢下落，使翻转的原料轻落在锅内。 3. 持锅旋锅 用手腕带动拇指快速将锅手柄向外拨出，再迅速用其余四指将拨出的手柄拨回原位，使原料借助惯性在锅内转动。 4. 持勺 手掌心与勺把平行，拇指和食指稍往前伸出，控制勺翻炒的角度，其余手指轻轻握住勺把，手臂自然下垂，不可张开。 5. 持勺翻料、装料 用炒勺以右边翻炒为主，抛锅，用炒勺接好原料。对准盘的中心，让原料自然滑下。每一勺都如此操作。

（续表）

实训项目		持锅
		6. 持锅铲 4个手指弯曲，把锅铲把握在手指的第二节里，大拇指在另一面抵住铲把，持好锅铲，沿锅底铲进原料下面，手腕用力翻动原料。 7. 洗锅 往锅内放水，用纱布从锅中心向四周洗刷，倒水，清洗两次，用抹布抹干锅内水分
实训方法	操作要领	1．操作时注意力要集中，临灶操作姿势要正确 2．左手要掌心朝上握住锅手柄，以便在炉灶上灵活运用煎锅 3．操作时身体要放松，肌肉不要紧张、僵硬，身体要协调 4．操作时动作要连贯 5．每次翻动时要连续翻动两次以上，以使原料完全翻转
实训组织	教师演示	内容：持锅 方式：操作演示 时间：15分钟
	学生实训	内容：持锅 分组：单独操作 时间：25分钟
	教师点评	小结、评分 时间：5分钟
实训准备	场地	实训室
	工具	锅、勺、锅布
	材料	细沙、清水
作业与思考题		1．小翻的操作要领及注意事项有哪些 2．大翻的操作要领及注意事项有哪些 3．持锅旋锅的操作要领及注意事项有哪些 4．如何增强自己的腕力和臂力

评价内容与配分建议

考核评价与成绩评定	持锅抛料（小翻、大翻）	持锅旋锅	持勺翻料
	50分	30分	20分

实训项目七

名称：使用炉灶

学时：1学时

对象：高一学生

实训项目		使用炉灶
目的与要求		1. 了解炉灶的构造及燃烧原理 2. 掌握炉灶的使用方法 3. 注意炉灶使用中的安全问题
技术理论与原理		燃气炉灶的构造及燃烧原理：利用气体压力使燃气充分燃烧产生大量热量供热，通过阀门调节火候大小。以热能的辐射、传导和对流3种基本传热方式为原料提供热能
实训方法	工艺流程	开燃气总阀—开炉灶燃气阀—开明火开关—点燃明火—关闭燃气总阀—关闭前、后炉头开关及明火开关
	操作过程及方法	打开排油烟系统，将炉灶燃气阀拧到关闭状态，然后打开燃气总阀。打开炉灶燃气阀，打开明火开关，点燃明火，根据需要打开主、副火眼开关。先关闭燃气总阀，再依次关闭前、后炉头开关及明火开关。经常检查气阀接头处是否漏气，保持炉灶清洁卫生 注意事项： 燃气炉灶在使用中存在着许多安全隐患，如煤气中毒、煤气爆炸、烧伤、烫伤、火灾等，需要引起足够的重视。需注意以下两方面： （1）燃气开关的判断。"开启"时扳手与燃气管平行，"关闭"时扳手与燃气管垂直。 （2）每间实操室燃气开关的设计不同，由教师示范后学生再进行操作
实训组织	教师演示	内容：使用炉灶 方式：操作演示 时间：15分钟
	学生实训	内容：使用炉灶 方式：单独操作 时间：25分钟
	教师点评	小结、评分 时间：5分钟
实训准备	场地	实操室
	工具	炉灶、打火枪

（续表）

实训项目	使用炉灶
作业与思考题	1. 写出燃气炉灶的构造及燃烧原理 2. 燃气炉灶如何使用？使用过程中应注意哪些安全问题

评价内容与配分建议

考核评价与成绩评定	熟练程度	控制能力
	50分	50分

实训项目八

名称：认识乳鸽烹饪的配料

学时：1学时

对象：高一学生

实训项目		认识乳鸽烹饪的配料
目的与要求		1. 认知各种乳鸽烹饪的配料，掌握各种配料的功效 2. 了解基本的配料配比和原理
技术理论与原理		配料在烹饪中作用巨大。认知各种配料，掌握各种配料的功效，了解配料的配比和原理是烹饪的关键，也是烹饪创新的重要环节
实训方法	工艺流程	认知各种配料—了解配料的功效—掌握基本配料配比和原理
	操作过程及方法	通过看、闻、摸、尝等方法，介绍各种配料并讲解基本配料的配比和原理
实训组织	教师演示	内容：展示、介绍各种配料，基本的配料配比和原理 方式：讲解、示范 时间：25分钟
	学生实训	内容：认识、掌握各种配料，掌握各种配料的功效，了解基本的配料配比和原理。 分组：单独操作 时间：15分钟
	教师点评	小结、评分 时间：5分钟
实训准备	场地	实训室
	工具	—
	材料	各种配料
作业与思考题		会辨识各种配料并了解基本功效

评价内容与配分建议

考核评价与成绩评定	学习态度	实操表现
	50	50

实训项目九

名称：乳鸽初加工

学时：1 学时

对象：高一学生

实训项目		乳鸽初加工
目的与要求		1. 了解乳鸽初加工的流程 2. 掌握清洗及整理的技能
技术理论与原理		由于食品卫生安全管理的要求，烹饪所需的乳鸽基本实现了集中专业的宰杀及配送。所以，本教学集中教授配送乳鸽的再处理
实训方法	工艺流程	宰杀放血—浸烫拔毛—开膛去内脏—检查冲洗—浸泡去血水—捞出控水
	操作过程及方法	简单讲述乳鸽初加工的流程及技术要领，为后续工作做好前期准备。满足应知应会的教学要求。教授学生对乳鸽做基本的清洗及切割处理
实训组织	教师演示	内容：简单讲述乳鸽初加工的流程及技术要领，示范对乳鸽做基本的清洗及切割处理 方式：讲解、示范 时间：30 分钟
	学生实训	内容：了解乳鸽初加工的流程及技术要领，对乳鸽做基本的清洗及切割处理 分组：单独操作 时间：10 分钟
	教师点评	小结、评分 时间：5 分钟
实训准备	场地	实训室
	工具	刀具、抹布、菜筐
	材料	乳鸽、水
作业与思考题		1. 了解乳鸽初加工的流程 2. 掌握乳鸽清洗及切割的基本技术

评价内容与配分建议

考核评价与成绩评定	学习态度	实操表现
	50	50

第二模块　红烧乳鸽的育新工艺实训

实训项目十

名称：制作高汤

学时：1 学时

对象：高一学生

实训项目		制作高汤
目的与要求		1. 掌握高汤制作的操作方法和技术要领 2. 了解高汤原料配比 3. 掌握高汤制作的流程
技术理论与原理		高汤的作用在于提高食物的鲜香味。汤的鲜味是由于汤内含有一定量的鲜味物质。高汤虽为液体，却淡而不薄，由于高汤富含水解动物蛋白或者水解植物蛋白，不仅提高了鲜味强度，而且产生一定的醇厚感，有助于提高菜肴的品质。而原料中的油脂与水溶液产生乳化以后，也可以丰富菜肴的味感。以奶汤为主的菜肴中体现得更为明显。这是味精和食盐的水溶液所产生的单薄的鲜味感所达不到的
实训方法	工艺流程	原料焯水—放料烹煮—慢火熬制—过滤
	操作过程及方法	制作过程： 1. 原料焯水 　　先将老母鸡、鸡爪、鸡油等材料清洗干净，放入凉水锅中。水煮开后煮 3~5 分钟，待浮沫、腥臭味出来后，取出老母鸡等材料用水冲洗干净，残水倒掉。 2. 放料烹煮 　　锅中加水 40 斤，把焯水后的老母鸡、鸡爪、鸡油放进去，并加入 2 瓶盖白酒与 5 两南姜开始熬制。 3. 慢火熬煮 　　大火将其烧开，再调中火慢熬 4 个小时左右。 4. 过滤 　　将高汤内的残余物取出，过滤残渣，汤水呈乳白色，即成为高汤，约有 30 斤 注意事项： 1. 冷水锅焯水：是指将初步加工的原料与冷水同时下锅。水要没过原料，然后烧开，此目的是去除瘀血等浮沫和老母鸡、鸡爪、鸡油的腥臭味，便于进一步加工 2. 焯水时一定要冷水下锅，因为这样可以更好地将骨头内的血水腥味和脏物释放出来。如果一开始就将老母鸡、鸡爪、鸡油放进热水或沸水中，去腥臭味的效果会差一点

（续表）

实训项目		制作高汤
		3.加入白酒和南姜，是为了更进一步去除腥膻气味 4.煮汤的过程中只能加开水，不能加冷水
实训组织	教师演示	内容：高汤制作 方式：操作演示 时间：15分钟
	学生实训	内容：高汤制作 分组：全班 时间：25分钟
	教师点评	小结、评分 时间：5分钟
实训准备	场地	实训室
	工具	汤锅、砧板、刀具、长木把不锈钢密隔、盛具
	材料	水、老母鸡、鸡爪、鸡油、南姜、白酒
作业与思考题		1.制作高汤需注意哪些事项 2.掌握高汤制作的步骤和技术要领

评价内容与配分建议

考核评价与成绩评定	安全规范	操作过程	成品效果
	20	40	40

实训项目十一

名称：制作香料包
学时：1 学时
对象：高一学生

实训项目		制作香料包
目的与要求		1. 掌握香料包制作的操作方法和技术要领 2. 了解香料包的配比
技术理论与原理		香料的作用有两个：一是增加香味，二是掩盖乳鸽肉的异味。理论上说，大多数的香料都同时具备增加香味和掩盖异味的作用，只不过，因为香料品种不同，其自身的香味和异味也不同。比如八角、小茴香、桂皮等，其自身香味较浓，异味较小，所以在卤肉中用量较大；而山柰、白芷等，虽然自身香味较浓，但异味也较重，在配制香料包时，就要适当减少其用量，否则其自身的异味就会掩盖住肉的香味。另外，草果、草豆蔻类，其自身香味较淡，异味却较重，这类香料在卤肉中的使用量也不宜太多。还有一类香料，属于香味比较特殊的香料，如香茅草、丁香等，对于这类香料，使用量就特别少了
实训方法	工艺流程	清洗—煮制—炒制—打包
	操作过程及方法	制作过程： 1. 清洗香料 2. 大粒的香料需要拍碎 3. 所有的香料一定要放入沸水中煮 2~3 分钟，煮的目的是去除香料的苦味 4. 捞出香料，放入锅中，加少量油爆香 5. 把炒香的原料取出，用纱布袋装起来，待用 注意事项： 1. 丁香气味很浓很呛，需要控制好分量 2. 香料沸水煮 3~5 分钟，以便去除苦味 3. 大件的食材一定要改成小件才能出味，如陈皮要改成小块 4. 带籽的香料要拍碎，取用它们的壳，把籽丢掉，如草果，先拍碎，仅取草果的壳清洗即可

（续表）

实训项目		制作香料包
实训组织	教师演示	内容：制作香料包 方式：操作演示 时间：25分钟
	学生实训	内容：制作香料包 分组：单独操作 时间：15分钟
	教师点评	小结、评分 时间：5分钟
实训准备	场地	实训室
	工具	砧板、刀具、笊篱、盛具
	材料	各种香料、香料包、食用油
作业与思考题		1. 制作香料包需注意哪些事项 2. 掌握香料包制作的步骤和技术要领

评价内容与配分建议

考核评价与成绩评定	安全规范	操作过程	成品效果
	20	40	40

实训项目十二

名称：制作香料油

学时：1学时

对象：高一学生

实训项目		制作香料油
目的与要求		1. 掌握香料油制作的操作方法和技术要领 2. 了解香料油的配料原理及配比
技术理论与原理		香料油的作用有两个：一是增加香味，二是掩盖乳鸽肉的异味。与香料相比，香料油增香的作用更大
实训方法	工艺流程	清洗—处理—油炸—过滤
	操作过程及方法	制作过程： 1. 清洗原料，控干水 2. 锅中放油，烧热，把原料放入锅中，翻动 3. 取出原料，滤油放凉，待用 注意事项： 1. 油锅温度高，操作时注意安全 2. 翻动原料，不要煳焦了，以免产生苦味
实训组织	教师演示	内容：制作香料油 方式：操作演示 时间：20分钟
	学生实训	内容：制作香料油 分组：2人1组 时间：20分钟
	教师点评	小结、评分 时间：5分钟
实训准备	场地	实操室
	工具	砧板、刀具、笊篱、盛具
	材料	香菜、红葱头、姜、食用油
作业与思考题		1. 制作香料油需注意哪些事项 2. 掌握香料油制作的步骤和技术要领

评价内容与配分建议

考核评价与成绩评定	安全规范	操作过程	成品效果
	20	40	40

实训项目十三

名称：制作卤水

学时：1学时

对象：高一学生

实训项目		制作卤水
目的与要求		1. 掌握卤水的制作工艺和技术要领 2. 了解卤水调色调味的配比原理
技术理论与原理		卤水的制作，简称"制卤"，是指用清水、冰糖、红糖和酒类熬成糖浆后，再放入炸香的香料包、香料油以及其他调色调味品滚熬，最终能增加香味和改善色泽的工序。由于目的是增加香味和改善色泽，所使用的火候为慢火，保持100℃加热60分钟即可。卤水是由糖浆等配成，密度较清水或汤大，达到沸腾时的平均温度为110℃，具有较强的保温性能
实训方法	工艺流程	放料—熬制—调色调味
	操作过程及方法	制作过程： 1. 放料 把准备好的香料包、香料油、调味料等放进高汤内。 2. 熬制 大火煮开，调成小火，熬制1小时。 3. 调色调味 （1）通常可以采用冰糖+麦芽糖+黄栀子对红烧乳鸽卤水进行调色。调色后的卤水，如果感觉到颜色还不够，可以继续给卤水加料调色。 （2）麦芽糖可以使乳鸽颜色红润，非常好看。在控制好甜度的前提下，添加麦芽糖可以令乳鸽颜色红润有光泽，但需要多添加的时候需要注意卤水的甜度。 调色调味注意事项： （1）调色的目的是使卤制的乳鸽颜色自然鲜亮 （2）炸好的乳鸽在空气中1~2小时后开始氧化，颜色逐渐变深。在卤制时要考虑到，当乳鸽刚出炉锅时，颜色要比理想颜色稍浅（金黄锃亮）；经过空气的氧化后，颜色会逐渐变深，最后达到理想颜色（鲜亮棕红）。所以，应掌握这个技巧，将卤水调制到刚卤制出来的颜色比理想中的颜色稍微淡点。 （3）10斤水中加盐1克，浸泡1小时可以使鸽血泡出，鸽皮颜色更鲜亮，卤制出来的乳鸽皮鲜亮不发黑。加盐不可超量，否则乳鸽翅和腿过咸，肉老而不鲜。 （4）调色调味不放生抽和老抽

（续表）

实训项目			制作卤水
实训组织	教师演示		内容：制作卤水 方式：操作演示 时间：20分钟
实训组织	学生实训		内容：制作卤水 分组：单独操作 时间：20分钟
	教师点评		小结、评分 时间：5分钟
实训准备	场地		实训室
	工具		汤锅、汤勺、笊篱
	材料		高汤、香料包、香料油、冰糖、麦芽糖、黄栀子
作业与思考题			1. 制作卤水需注意哪些事项 2. 理解和掌握卤水调色调味的原理

评价内容与配分建议

考核评价与成绩评定	安全规范	操作过程	成品效果
	20	40	40

实训项目十四

名称：烹制红烧乳鸽

学时：2 学时

对象：高一学生

实训项目		烹制红烧乳鸽
目的与要求		1. 掌握红烧乳鸽制作工艺和技术要领 2. 了解红烧乳鸽调色调味的原理 3. 梳理红烧乳鸽整个流程
技术理论与原理		1. 红烧乳鸽又叫"脆皮乳鸽"，之所以有这个名称，是因为乳鸽最后要经过焦糖化反应和明胶絮化反应，使鸽皮出现脱水的状态而达到脆化效果 2. 在鸽皮上搽抹适当浓度的麦芽糖使乳鸽在加热时迅速发生焦糖化反应并以此再进行明胶絮化反应 3. 乳鸽表皮在发生焦糖化反应和明胶絮化反应时会受到油脂的影响，当乳鸽表皮上的明胶融入油脂之后，水分干燥就会受到制约，继而影响脆的效果 4. 为了降低油脂对鸽皮的影响，在搽抹麦芽糖时必须进行化油处理，化油处理可通过添加酸或碱的原料处理。就脆化而言，碱性原料要比酸性原料好；但就光泽和综合效果而言，酸性原料反而要比碱性原料好 5. 有了助剂之后，要让乳鸽在加热时适时地发生焦糖化反应和明胶絮化反应，就必须控制鸽皮的水分。因此，就要设置吹晾的工序
实训方法	工艺流程	预制（焯水、去除细毛、控水）—卤制—油炸
	操作过程及方法	制作过程： 1. 预制 （1）凉水入锅，加生姜数片，大火烧开。火要旺，水要烫，放入乳鸽焯水。 （2）取出过冷水，目的是去除乳鸽的血水与腥臭味。 （3）去除细毛。 （4）仔细检查焯水后的乳鸽，去除表皮的细毛，再次清洗。 （5）整齐放入菜筐中，乳鸽尾部朝下控干水分。 2. 卤制 （1）把乳鸽慢慢放入烧开的卤水中。 （2）加少许白酒。 （3）在卤制过程中需要把乳鸽提出卤锅数次，把腹腔中积存的卤水倒出。 （4）把乳鸽再次浸入卤桶时，需让滚烫的新卤水重新灌入腹腔中。 （5）把乳鸽浸入卤水桶中，上面用物品压好，让乳鸽均衡稳定地受热。

（续表）

实训项目		烹制红烧乳鸽
实训方法	操作过程及方法	（6）关火。浸泡15~20分钟，利用卤水的温度将乳鸽慢慢浸熟。 3. 油炸（单独实训） （1）将卤好的乳鸽放入已经调好温度（138℃左右）的电炸炉中，浸炸到金黄色捞出，再用138℃左右油温的油复炸，待乳鸽红亮皮脆时捞出。 （2）在油炸之前需用筷子将乳鸽眼膜乩（du）穿，以防高温下眼珠爆裂四溅。此工序称为"乩眼"。 （3）在油炸的时候，温度不宜过高，过高的温度易使焦糖化反应加剧，使乳鸽变黑并产生焦苦味。 注意事项： 1. 焯水主要是去除干净乳鸽的血水和腥臭味，并除去乳鸽皮上的细毛，避免后期卤制的过程中起浮沫。乳鸽没有焯水直接卤制时，可在卤水中多加点黄姜、南姜、香料包的分量适当加重，以便有效去除腥臭味。不焯水就卤制乳鸽，卤水会起白浮沫 2. 若发现汤的味道、颜色不够，需要调味和调色时，加入前面所说的调味品。在以后的卤制过程中，在卤制之前应进行调味 3. 卤好的乳鸽放凉后要用保鲜膜封好，以防止氧化使其颜色变深 4. 卤鸽不可过度，否则过咸，也容易破皮，影响美观，并且还容易使皮下脂肪溶化渗出，影响独特风味，难以做到"骨香肉嫩有嚼头"
实训组织	教师演示	内容：红烧乳鸽烹制 方式：操作演示 时间：30分钟
	学生实训	内容：红烧乳鸽烹制 分组：单独操作 时间：50分钟
	教师点评	小结、评分 时间：10分钟
实训准备	场地	实训室
	工具	油炸锅、汤锅、长柄汤勺、笊篱
	材料	乳鸽、卤水

评价内容与配分建议

考核评价与成绩评定	安全规范	操作过程	成品效果
	20	40	40

实训项目十五

名称：油炸乳鸽

学时：2学时

对象：高一学生

实训项目		油炸乳鸽
目的与要求		1. 掌握红烧乳鸽—油炸工艺和技术要领 2. 了解红烧乳鸽脆皮的原理 3. 梳理红烧乳鸽整个流程
技术理论与原理		油炸乳鸽为在烹制红烧乳鸽过程中的一个加工工艺，油炸可使乳鸽皮发生焦糖化反应并以此再进行明胶絮化反应
实训方法	工艺流程	预热—浸炸
	操作过程及方法	制作过程： 1. 将油加热至138℃左右 2. 将乳鸽放在笊篱上置于油面，用长柄汤勺舀热油淋在鸽坯上。最初的15秒是采用急淋（也可说是"泼"）的手法，先让鸽身回暖，令鸽皮呈现泛白颜色，这个工序称为"预热" 3. 待乳鸽表皮呈现泛白颜色后，将乳鸽连笊篱浸入油中，再把热油不停地淋在乳鸽表面使鸽皮发生焦糖化反应（上色）和明胶絮化反应（脆化），时间为45秒左右，这个工序称为"浸炸"。浸炸时需保持中火，以便油温保持在138℃左右 4. 制作红烧乳鸽所使用的油最好是花生油，其他油也可以，前提是所用的油加热时没有浮沫
实训组织	教师演示	内容：油炸乳鸽 方式：操作演示 时间：30分钟
	学生实训	内容：油炸乳鸽 分组：单独操作 时间：50分钟
	教师点评	小结、评分 时间：10分钟
实训准备	场地	实操室
	工具	油炸锅、长柄汤勺、笊篱
	材料	卤制乳鸽、花生油

（续表）

实训项目	油炸乳鸽
作业与思考题	1. 油炸乳鸽需注意哪些事项 2. 理解和掌握油炸乳鸽的核心工艺和技术要领

评价内容与配分建议

考核评价与成绩评定	安全规范	操作过程	成品效果
	20	40	40

实训项目十六

名称：摆盘

学时：1学时

对象：高一学生

实训项目		摆盘
目的与要求		1. 掌握把乳鸽斩切成4块、6块、10块的操作方法和技术要领 2. 了解乳鸽的结构 3. 摆盘要干净美观
技术理论与原理		摆盘是一种艺术创作，摆盘效果会影响菜品的美观，甚至影响食客的食欲，因此菜品的摆盘对餐厅来说很关键。摆盘的技术要求： 1. 选择餐具要符合食物特性 2. 餐盘大，易塑造菜品样式 3. 食材纹理和材质一般遵循软对硬、粗糙对顺滑、干燥对黏稠等规则 4. 食物摆放要整齐，不可超出盘子边线 5. 附加内容不要过多 6. 主体食物突出，忌喧宾夺主 7. 注意饮食卫生
实训方法	工艺流程	斩切—摆置—整理—装饰—上桌
	操作过程及方法	操作过程： 乳鸽有不同的规格，除了让食客自撕而以整只端出之外，不同的规格有不同的斩切方法。因此，乳鸽上碟有4块、6块和10块3种斩切形式。 斩切方法：根据乳鸽的大小，可分为4块、6块和10块3种斩切形式。斩头和开边是相同的。具体的操作是： 第一步是先将胫骨平切斩齐。 第二步是将鸽颈斩下。 第三步是以胸朝上的姿势将鸽身头左尾右摆放在砧板上，顺刀将乳鸽一分为二。 4块斩切法：在第三步基础上，即用刀横腰直切一刀，将鸽身分成4份。 6块的斩切法：在第三步基础上再切两刀，第一刀腋下直切，第二刀在髀前直切，将鸽身分成6份。 10块斩切法：即在第三步的基础上再切4刀，第一刀贴翼（翅膀）底斜切，第二刀横腰斜切，第三刀在髀前斜切，第四刀在贴髀底斜切，将鸽身分成10份

（续表）

实训项目		摆盘
实训组织	教师演示	内容：摆盘 方式：操作演示 时间：35分钟
实训组织	学生实训	内容：摆盘 分组：单独操作 时间：15分钟
	教师点评	小结、评分 时间：5分钟
实训准备	场地	实操室
	工具	砧板、刀具、盛具
	材料	乳鸽1只、装饰物
作业与思考题		1. 摆盘需注意哪些事项 2. 斩切乳鸽的步骤和技术要领有哪些

评价内容与配分建议

考核评价与成绩评定	熟练程度	创意配饰	成品效果
	20	30	50

第三模块 清水乳鸽的育新工艺实训

实训项目十七

名称：蒸的工艺

学时：1 学时

对象：高一学生

实训项目		蒸的工艺
目的与要求		1. 了解蒸制的原理 2. 掌握蒸制工艺和技术的要领
技术理论与原理		蒸是以蒸汽为传热介质的烹调技法之一，是指在相对密封的环境里，利用高温的水蒸气对原料进行直接或间接加热的方法。蒸汽环境中的温度会随容器密封程度的提高而升高，即压力锅的温度会比蒸笼、蒸柜的温度高；若密封程度降低，温度也会相应地降低。蒸的温度是通过密封状态的改变和蒸汽的供应量来调节的。蒸制能较好地保持原料的水分、原味、原色等
实训方法	工艺流程	加工调味—摆放—蒸制—加热—成熟
	操作过程及方法	制作过程： 1. 加工调味。用刀工处理原料并调味。清蒸调味料使用较为简单，以保持原料的原汁原味为主，比较清鲜，色泽以原料的原色为主，不加有色的调味料，多为白芡或清芡 2. 经调味后平放在器皿上（或摆砌造型） 3. 轻轻放进蒸笼或蒸柜内，加盖密封，加热 注意事项： 1. 水量要充足 2. 根据原料性质或菜品要求，调节好火力，控制蒸汽量 3. 根据原料性质或大小厚薄，控制加热时间，掌握熟度 4. 原料在碟上的放置要厚薄均匀，较大的原料要稍垫起
实训组织	教师演示	内容：蒸制工艺 方式：操作演示 时间：25 分钟
	学生实训	内容：蒸制工艺 分组：单独操作 时间：15 分钟
	教师点评	小结、评分 时间：5 分钟

（续表）

实训项目		蒸的工艺
实训准备	场地	实操室
	工具	蒸锅、盛具、夹子（垫子）
	材料	乳鸽1只、花旗参3克、盐适量、广东米酒适量
作业与思考题		1. 蒸制需注意哪些事项 2. 理解和掌握蒸制的核心工艺和技术要领

评价内容与配分建议

考核评价与成绩评定	安全规范	操作过程	成品效果
	20	40	40

实训项目十八

名称：清水乳鸽烹饪

学时：2学时

对象：高一学生

实训项目		清水乳鸽烹饪
目的与要求		1. 掌握清水乳鸽工艺和技术要领 2. 了解清水乳鸽原料的配比
技术理论与原理		清蒸是指单一主料、单一口味（咸鲜味），把原料直接调味蒸制，成品汤清、味鲜、质嫩的蒸法。清蒸乳鸽最讲究一个"清"字。原料必须洗涤干净，沥净血水。蒸制时要火旺水沸，短时间内加热成熟，一气呵成，并马上上席。 蒸是以蒸汽为传热介质的烹调技法之一，是指在相对密封的环境里，利用高温的水蒸气对原料进行直接或间接加热的方法。蒸汽环境中的温度会随容器密封程度的提高而升高，即压力锅的温度会比蒸笼、蒸柜的温度高；若密封程度降低，温度也会相应地降低。蒸的温度是通过密封状态的改变和蒸汽的供应量来调节的
实训方法	工艺流程	选料—初加工—晾干—制作花旗参汁—腌制—蒸制—蘸料
	操作过程及方法	制作过程： 1. 晾干水分。乳鸽宰好洗净，挂起来把水晾干或用厨房纸巾把水吸干 2. 浸花旗参水。15克干花旗参，用开水泡约20分钟，用打汁机打碎后过滤 3. 腌制。把乳鸽放在碟子上，取适量食盐涂抹乳鸽全身，肚子里也要抹到，然后取适量花旗参水与广东米酒再把乳鸽整个抹一遍。用保鲜膜密封后，放冰箱冷藏腌制3~5小时 4. 蒸制 （1）把腌制的乳鸽从冰箱拿出解冻。 （2）蒸锅放足够的水大火烧开，把解冻的乳鸽放在蒸屉上，隔水，大火蒸15~20分钟。 （3）拿牙签深扎乳鸽大腿肉多部位，拉出，牙签孔不冒血水为熟。 （4）用夹子夹牢，出锅。 5. 蘸料 清水乳鸽的蘸料就是蒸乳鸽时流出的汤汁。乳鸽连碟子一起取出晾至温热后，把汁倒出，装在蘸汁碗里，然后，连同斩切好的乳鸽一起整理好，摆盘上桌

（续表）

实训项目		清水乳鸽烹饪
		注意事项： （1）鸽涂抹盐和花旗参水后，要放入冰箱腌制至少3小时，使乳鸽入味。 （2）蒸制选用的盘子最好稍有深度，蒸制过程会出汁，如果碟子太浅，汁容易外溢。 （3）原汤倒出做蘸料，蘸料不需要加任何调味品，也足够有风味
实训组织	教师演示	内容：清水乳鸽 方式：操作演示 时间：30分钟
	学生实训	内容：清水乳鸽 分组：单独操作 时间：45分钟
	教师点评	小结、评分 时间：15分钟
实训准备	场地	实操室
	工具	蒸锅、深碟子、夹子、厨房料理机
	材料	乳鸽1只、花旗参15克、盐适量、广东米酒适量
作业与思考题		1. 烹制清水乳鸽需注意哪些事项 2. 理解和掌握清水乳鸽的核心工艺和技术要领

评价内容与配分建议

考核评价与成绩评定	安全规范	操作过程	成品效果
	20	40	40

第四模块　荷香乳鸽的育新工艺实训

实训项目十九

名称：荷香乳鸽烹饪

学时：1 学时

对象：高一学生

实训项目		荷香乳鸽烹饪
目的与要求		掌握荷香乳鸽的制作工艺和技术要领
技术理论与原理		蒸是以蒸汽为传热介质的烹调技法之一，是指在相对密封的环境里，利用高温的水蒸气对原料进行直接或间接加热的方法。蒸汽环境中的温度会随容器密封程度的提高而升高，即压力锅的温度会比蒸笼、蒸柜的温度高；若密封程度降低，温度也会相应地降低。蒸的温度是通过密封状态的改变和蒸汽的供应量来调节的
实训方法	工艺流程	选料—初加工—切配—调味—装盘—蒸制—成熟
	操作过程及方法	制作过程： 选料、初加工同清水乳鸽。 1. 切配 （1）把乳鸽清理干净。 （2）鲜荷叶剪成直径为 30 厘米的圆形。 （3）把鲜荷叶放进开水中猛火焯至软，取出后用清水漂洗干净。 2. 调味 在小蒸笼中铺上一块荷叶，先在乳鸽件中加入精盐、鸡精、白砂糖、花雕酒、胡椒粉拌匀，然后放入干淀粉和香油拌匀，最后再把姜片和煨好的冬菇件放入拌匀。 3. 装盘、蒸制 （1）把原料平铺在有鲜荷叶垫着的小蒸笼中，盖上另一块鲜荷叶。 （2）放进蒸柜中，猛火加热蒸 12 分钟至熟。 4. 成熟与摆盘 蒸熟乳鸽取出；去掉盖在上面的荷叶，撒上葱花，将烧热的香油浇淋在葱花上，再把荷叶盖上，摆盘即可。 注意事项： （1）鲜荷叶要先用开水煮软，以除去涩味，最好加入少量的碱水煮，则荷叶的青绿色可保持较长的时间。 （2）由于盖有另一块荷叶，会影响热传导，所以必须用猛火蒸，才能保证乳鸽蒸熟后的光泽度，并且不会泻油，同时，荷叶也能继续保持青绿色。 （3）如果没有盖着的鲜荷叶，则只能用中火加热，才能保证乳鸽肉质的嫩滑，蒸的时间只需要 8 分钟

（续表）

实训项目		荷香乳鸽烹饪
实训组织	教师演示	内容：荷香乳鸽 方式：操作演示 时间：25分钟
	学生实训	内容：荷香乳鸽 分组：单独操作 时间：15分钟
	教师点评	小结、评分 时间：5分钟
实训准备	场地	实训室
	工具	蒸锅、深碟子、夹子
	材料	乳鸽1只、荷叶2片、精盐、鸡精、白砂糖、花雕酒、胡椒粉、干淀粉和香油、姜片、冬菇等
作业与思考题		1. 烹制荷香乳鸽需注意哪些事项 2. 理解和掌握荷香乳鸽的核心工艺和技术要领

评价内容与配分建议

考核评价与成绩评定	安全规范	操作过程	成品效果
	20	40	40

第五模块　淮山炖鸽的育新工艺实训

实训项目二十

名称：炖制工艺

学时：1学时

对象：高一学生

实训项目		炖制工艺
目的与要求		1. 了解炖制的原理 2. 掌握炖制工艺和技术的要领
技术理论与原理		炖是蒸汽传热的加温方法，通过炖盅外长时间的蒸汽加温，使炖盅内的汤水保持在100℃的高温，原料受热涨发，各种滋味营养成分溢出，并溶解于汤水之中，使汤水饱含主配原料的精华，成为汤水香浓、清鲜，肉料软滑的炖品。因此，炖汤是炖品的主要成品，不但本身滋味香浓而鲜美，而且营养成分被分解，极易吸收，最适宜作为补品享用。加热时间的长短，主要由原料性质决定，关键是让原料充分出味分解
实训方法	工艺流程	初加工—焯水—下盅—炖制—撇油—再调味—封纱纸—再次炖制—成品
	操作过程及方法	制作过程： 1. 原料处理干净 2. 肉料焯水 水烧开后放入肉料，待浮沫出来后，捞出肉料并过水清洗。 3. 原料下盅、初步调味 将原料依次放进炖盅内，初步调味。 水漫过原料表面，加盖。 4. 炖制 炖盅放入蒸笼(蒸柜)内，用中慢火炖约1.5小时。 5. 撇油再调味、封纱纸 6. 再次炖制 再炖10分钟，原盅上席。 注意事项： 1. 肉料一定要焯水，要洗净血水 2. 汤水一定要浸过原料表面 3. 初次调味不能味重 4. 炖制时间约1.5小时，如火候较慢，可稍微延长时间

（续表）

实训项目		炖制工艺
实训组织	教师演示	内容：炖制工艺 方式：操作演示 时间：20分钟
实训组织	学生实训	内容：炖制工艺 分组：单独操作 时间：20分钟
	教师点评	小结、评分 时间：5分钟
实训准备	场地	实训室
	工具	蒸锅、炖盅、夹子（垫子）
	材料	原料、瘦肉方粒、火腿方粒、盐、姜葱、绍酒
作业与思考题		1. 蒸制需注意哪些事项 2. 理解和掌握蒸制的核心工艺和技术要领

评价内容与配分建议

考核评价与成绩评定	安全规范	操作过程	成品效果
	20	40	40

实训项目二十一

名称：淮山炖鸽

学时：1学时

对象：高一学生

实训项目		淮山炖鸽
目的与要求		1. 掌握淮山炖鸽的工艺和技术要领 2. 了解淮山炖鸽原料的配比
技术理论与原理		炖是蒸汽传热的加温方法，通过长时间的蒸汽加温，使炖盅内的汤水保持在100℃的高温，原料受热涨发，各种滋味营养成分溢出，并溶解于汤水之中，使汤水饱含主配原料的精华，成为汤水香浓、清鲜，肉料软滑的炖品。因此，炖汤是炖品的主要成品，不但本身滋味香浓而鲜美，而且营养成分被分解，极易吸收，最适宜作为补品享用。加热时间的长短，主要由原料性质决定，关键是让原料充分出味分解
实训方法	工艺流程	处理鸽子—肉料焯水—原料下盅—初步调味—炖制—撇油再调味、封纱纸—再次炖制—成品
	操作过程及方法	制作过程： 1. 处理鸽子 （1）将乳鸽从背脊至尾部切开，去肺，洗净，把腿骨、翅骨敲断。 （2）将淮山、枸杞洗净并浸泡。 2. 肉料焯水 （1）水烧开后放入乳鸽、瘦肉粒，待浮沫出来后，捞出乳鸽和瘦肉粒并过水清洗。 （2）去除乳鸽细毛。 3. 原料下盅、初步调味 （1）将淮山、枸杞、瘦肉、乳鸽依次放进炖盅内，姜、葱用牙签串起放在原料表面。 （2）放入绍酒，将水烧开，调入精盐、味精。 （3）水漫过原料表面，加盖。 4. 炖制 炖盅放入蒸笼(蒸柜)内，用中慢火炖约1.5小时。 5. 撇油再调味、封纱纸 上菜前取出，去掉姜、葱，撇去浮油。 6. 再次炖制 再炖约10分钟即可，原盅上席。 注意事项： 1. 鸽子要开背，并敲断四柱骨，也可碎件炖 2. 飞水要洗净血水，清理细毛

（续表）

实训项目		淮山炖鸽
		3. 汤水一定要浸过原料表面，初次调味不能味重 4. 炖制时间约 1.5 小时，如火候较慢，可稍微延长时间，炖老鸽则要炖 2 小时以上
实训组织	教师演示	内容：淮山炖鸽 方式：操作演示并指导 时间：30 分钟
	学生实训	内容：淮山炖鸽 分组：单独操作 时间：50 分钟
	教师点评	小结、评分 时间：10 分钟
实训准备	场地	实训室
	工具	蒸锅、炖盅、夹子
	材料	乳鸽 1 只、淮山、盐、姜、葱、绍酒
作业与思考题		1. 烹制淮山炖鸽需注意哪些事项 2. 理解和掌握淮山炖鸽的核心工艺和技术要领

评价内容与配分建议

考核评价与成绩评定	安全规范	操作过程	成品效果
	20	40	40

第六模块　盐焗乳鸽的育新工艺实训

实训项目二十二

名称：盐焗工艺

学时：1学时

对象：高一学生

实训项目		盐焗工艺
目的与要求		1. 了解盐焗的原理 2. 掌握盐焗工艺和技术的要领
技术理论与原理		焗法是粤厨吸取西餐制法演化而来的，在烹调技法中比较特殊。盐焗是把粗盐粒加热后作为传热介质，利用盐粒的高温把原料加热至熟。盐焗可以使原料在密闭的状态下加热，由于热量集中，散发较慢，原料香味不易挥发。此法烹制的菜品香味浓郁，原汁原味，本味特殊
实训方法	工艺流程	初加工—腌制—包裹—炒盐—焗制—改刀—成菜
	操作过程及方法	制作过程： 1. 选料：原料要求鲜嫩，以禽类或水产类原料为主，基本没有配料，多为原只(原条)烹制 2. 腌制：原料焗前要经腌制，使其入味 3. 包裹：用纱纸涂上猪油进行包裹，不能松散，否则，外面的盐会进入原料内 4. 炒盐：使用粗海盐，先将其用铁锅炒至滚烫 5. 焗制：将原料埋入盐粒中。如一次不能使原料至熟，应将原料取出，再将粗盐重新炒至足够热，再放入原料焗，焗时为了保温，可以在盐面加盖和继续用慢火加热 6. 改刀：根据菜式进行改刀和造型 注意事项： 如果盐粒过热，会将原料外表烧焦。掌握好盐的温度和加热的时间，是盐焗的关键
实训组织	教师演示	内容：盐焗工艺 方式：操作演示 时间：20分钟
	学生实训	内容：盐焗工艺 分组：单独操作 时间：20分钟
	教师点评	小结、评分 时间：5分钟

（续表）

实训项目		盐焗工艺
实训准备	场地	实训室
实训准备	工具	炒锅或者焗炉、食用包裹纸
	材料	粗盐、乳鸽等
作业与思考题		1. 盐焗时需注意哪些事项 2. 理解和掌握盐焗的核心工艺和技术要领

评价内容与配分建议

考核评价与成绩评定	安全规范	操作过程	成品效果
	20	40	40

实训项目二十三

名称：盐焗乳鸽

学时：2 学时

对象：高一学生

实训项目		盐焗乳鸽
目的与要求		1. 掌握盐焗乳鸽工艺和技术要领 2. 了解盐焗乳鸽的原理
技术理论与原理		焗法是粤厨吸取西餐制法演化而来的，在烹调技法中比较特殊。盐焗是把粗盐粒加热后作为传热介质，利用盐粒的高温把原料加热至熟。盐焗可以使原料在密闭的状态下加热，由于热量集中，散发较慢，原料香味不易挥发。此法烹制的菜品香味浓郁，原汁原味，本味特殊
实训方法	工艺流程	初加工—腌制—包裹—炒盐—焗制—改刀—成菜
	操作过程及方法	制作流程： 1. 初加工、腌制 　加工好的乳鸽洗净，用厨房纸吸干水分，然后用米酒和沙姜末涂抹鸽身，将剩下的米酒倒入鸽子腹里，腌制 1 小时。 2. 包裹 （1）用三层盐焗纸将乳鸽包住。 （2）其中两张盐焗纸上都要涂上熟猪油或花生油，鸡油也可以：一为增加鸡的香味，二为避免盐焗纸与乳鸽的表皮粘连过紧，拆盐焗纸时产成乳鸽皮破损。 （3）第三张盐焗纸则不需要涂油，尽量避免油脂直接接触到高热的盐从而产生油烟。 3. 炒盐、焗制 （1）先在瓦煲底部撒入 1.5 袋粗海盐。 （2）当粗盐温度达到 130℃时，放入包好的乳鸽。 （3）再倒入 1.5 袋粗海盐盖住鸽身。 （4）然后盖上瓦煲的盖子，开小火焗 30 分钟左右。 （5）揭盖，舀出鸽身上层的粗海盐。 4. 取出焗熟的乳鸽，撕去纸，改刀，摆盘 注意事项： 1. 包裹乳鸽时一定要包裹严实。在加热过程中，乳鸽会流出很多汁水，所以一般要包裹三张盐焗纸 2. 盐可重复利用。制作盐焗菜的盐是可以重复利用的。第一次炒盐时，粗盐水分较多，炒时容易四处弹跳，需用锅盖掩护。虽然说盐可以重复利用，但是如果制作盐焗乳鸽过程中有汁水流出，盐使用 3 次后就应替换掉

（续表）

实训项目		盐焗乳鸽
实训方法	操作过程及方法	3. 炒盐时，最好用砂锅。炒盐过程中，盐里的主要成分氯化钠在加热条件下，对铁锅损害较大，因此最好用砂锅 4. 粗盐一定要炒至烫手才可以下原料。一般而言，当粗盐的温度达到130℃时，方可将原料放入 5. 焗制时，砂锅底部的海盐要高于6厘米，若铺的海盐太浅，加热会把包裹的纸烧焦，乳鸽会发黑难吃 6. 乳鸽体积不大，因此要掌握好时间，避免加热过久，导致表皮变焦，肉质变老
实训组织	教师演示	内容：盐焗乳鸽 方式：操作演示 时间：30分钟
	学生实训	内容：盐焗乳鸽 分组：单独操作 时间：50分钟
	教师点评	小结、评分 时间：10分钟
实训准备	场地	实训室
	工具	炒锅或者焗炉、食用包裹纸
	材料	乳鸽1只、粗盐、沙姜、广东米酒等
作业与思考题		1. 烹制盐焗乳鸽需注意哪些事项 2. 理解和掌握盐焗乳鸽的核心工艺和技术要领

评价内容与配分建议

考核评价与成绩评定	安全规范	操作过程	成品效果
	20	40	40

第七模块　育新乳鸽新工艺实训

实训项目二十四

名称：钵酒焗乳鸽的烹饪工艺

学时：1 学时

对象：高一学生

实训项目		钵酒焗乳鸽的烹饪工艺
目的与要求		1. 了解钵酒焗乳鸽的工艺原理 2. 掌握钵酒焗乳鸽的工艺和技术的要领
技术理论与原理		焗是结合了油炸及焗制的一种烹饪工艺
实训方法	工艺流程	原料准备—腌制原料—着色—焗制—装盘—淋汁
	操作过程及方法	制作过程： 1. 把乳鸽洗净，控干水分，用生抽涂匀鸽身 2. 猛火烧锅，下油，加热至150°C时，放入乳鸽，略炸至表面金黄，捞起，滤去油脂 3. 将砂锅放在煤气炉上，烧至热后，加入食用油，放入姜片、葱条爆香，再加入上汤、乳鸽，调入精盐、味精、白砂糖、钵酒，盖上锅盖，用中慢火焗约20分钟，收汤后取出。将葱条、姜片放于盘底，乳鸽铺在姜、葱上面，淋上原汁，放入香菜叶 注意事项： 1. 要选用肥嫩的乳鸽，保证肉质嫩滑 2. 加入调味料腌制，加入钵酒 3. 葱的用量要足够，并要求交错放在砂锅内 4. 焗制时宜用中火，要掌握好原料熟度
实训组织	教师演示	内容：钵酒焗乳鸽 方式：操作演示 时间：20分钟
	学生实训	内容：钵酒焗乳鸽 分组：单独操作 时间：20分钟
	教师点评	小结、评分 时间：5分钟

（续表）

实训项目		钵酒煸乳鸽的烹饪工艺
实训准备	场地	实训室
	工具	炒锅、锅铲、抹布等
	材料	乳鸽，精盐、味精、白砂糖、钵酒、葱、姜、香菜叶等
作业与思考题		1. 制作钵酒煸乳鸽时需注意哪些事项 2. 理解和掌握钵酒煸乳鸽的核心工艺和技术要领

评价内容与配分建议

考核评价与成绩评定	安全规范	操作过程	成品效果
	20	40	40

实训项目二十五

名称：烧汁煎焗乳鸽烹饪工艺

学时：1学时

对象：高一学生

实训项目		烧汁煎焗乳鸽烹饪工艺
目的与要求		1. 掌握烧汁煎焗乳鸽的工艺和技术要领 2. 了解烧汁煎焗乳鸽的原理
技术理论与原理		烧汁煎焗乳鸽采用了"煎""焗"结合的烹饪手法，煎焗时加入料汁，中西结合，赋予乳鸽浓郁的香味，料汁浸入肉质里，不仅鲜嫩可口，而且还具有焦香肉滑的特点，别有一番风味。煎法是以小火将锅烧热后，下入布满锅底适宜的油，烧热，将处理好的原料下入，慢慢加热至熟的烹调技法。制作时先煎好一面，再煎另一面，也可以两面反复交替煎，油量以不浸没原料为宜，煎时要不断晃锅或用手铲翻动，使其受热均匀两面一致，多呈金黄色或表皮酥脆。焗法是粤厨学习西餐制法演化而来的，焗法可以使原料在密闭的状态下加热，由于热量集中，散发较慢，原料的香味不易挥发。此法烹制的菜品香味浓郁，原汁原味，本味特殊
实训方法	工艺流程	原料准备—切配原料—原料腌制—煎制—焗制
	操作过程及方法	制作过程： 1. 将乳鸽斩件，洗净，控干水分 2. 放入小盆内，加入绍酒、烧汁、味精、白砂糖、胡椒粉拌匀，腌制约20分钟 3. 加入湿淀粉拌匀 4. 热锅冷油，将锅端离火位，放入原料，再用慢火煎至表面金黄 5. 加上锅盖，端离火位，略焗 6. 再端回火位，加入姜片、红葱段略翻炒，加上锅盖，略焗 7. 从锅边慢慢渗入少许清水，将原料焗熟 注意事项 1. 由于菜品在加热过程中不能调味，因此腌制时间要足够，调味料要适当 2. 煎制时要使用慢火，时间稍长，将原料煎透，突出焦香味 3. 焗制时要从锅边加入少许清水，使锅中有足够的水蒸气作为传热媒介，让原料受热均匀，避免出现外焦内生的现象

（续表）

实训项目		烧汁煎焗乳鸽烹饪工艺
实训组织	教师演示	内容：烧汁煎焗乳鸽 方式：操作演示 时间：20分钟
	学生实训	内容：烧汁煎焗乳鸽 分组：单独操作 时间：20分钟
实训组织	教师点评	小结、评分 时间：5分钟
实训准备	场地	实操室
	工具	炒锅、锅铲、抹布
	材料	乳鸽1只、食用油、绍酒、烧汁、味精、白砂糖、胡椒粉、淀粉等
作业与思考题		1. 烹制烧汁煎焗乳鸽需注意哪些事项 2. 理解和掌握烧汁煎焗乳鸽的核心工艺和技术要领

评价内容与配分建议

考核评价与成绩评定	安全规范	操作过程	成品效果
	20	40	40

实训项目二十六

名称：沙参莲子煲鸽

学时：1学时

对象：高一学生

实训项目		沙参莲子煲鸽
目的与要求		1. 掌握沙参莲子煲鸽工艺和技术要领 2. 了解沙参莲子煲鸽的原理
技术理论与原理		沙参莲子煲鸽采用了"煲"的烹调手法。煲是用长时间的小火加热，把原料的各种营养成分充分溶解在汤水中的烹饪工艺。沙参莲子煲鸽可以使鸽肉变得软稔，味道鲜美、香甜、浓郁，滋润而不燥热，易于吸收
实训方法	工艺流程	初加工—切配—飞水—煲制—调味
	操作过程及方法	制作过程： 1. 先将鸽子尾部切去，在背部切开，把腿骨用刀背敲断（也可以把鸽斩成大方块）；将瘦肉切成大方粒，洗净原料 2. 把鸽子、瘦肉放进开水中焯水，再用清水洗干净 3. 把配料放进瓦汤煲中，然后放入整只的鸽子，加入清水 4. 用猛火加热至汤水沸腾，改用中火加热15分钟，再转用慢火加热2小时 5. 把汤水表面的油脂和浮沫去掉，再取出老姜片、瘦肉粒等汤料，加入精盐、鸡精调味 注意事项： 1. 若是用一只整鸽，最好做成汤后保持它的完整性，行业习惯在背部斩开鸽身（便于煲汤出味），但不开胸 2. 鸽汤制成后，为了显示汤水的名贵，上菜时，一般都会把汤料取出，放在盘中，再端给客人 3. 老鸽肉质结实且韧性大，所以煲汤的时间必须足够，才能使营养充分融入汤水中
实训组织	教师演示	内容：沙参莲子煲鸽 方式：操作演示 时间：20分钟
	学生实训	内容：沙参莲子煲鸽 分组：单独操作 时间：20分钟
	教师点评	小结、评分 时间：5分钟

（续表）

实训项目		沙参莲子煲鸽
实训准备	场地	实训室
	工具	瓦煲
实训准备	材料	乳鸽1只、沙参、莲子、老姜片、瘦肉粒、精盐、鸡精适量
作业与思考题		1. 沙参莲子煲鸽需注意哪些事项 2. 理解和掌握沙参莲子煲鸽的核心工艺和技术要领

评价内容与配分建议

考核评价与成绩评定	安全规范	操作过程	成品效果
	20	40	40

第八模块　实训总结

经过一学年的学习和实训,同学们已经学到了基本的乳鸽烹饪知识和技能,本模块是对一学年学业的一次综合实训和水平测试,希望同学们能总结对烹饪的理解,梳理对乳鸽烹饪工艺的掌握,理解工匠精神在烹饪工作中的体现,并以此作为本课程的最终评价。

给自己的作品画像

我的作品是能与客人交流的艺术品,我用技术和情感给菜肴灌注了生命与美感。希望我做的乳鸽菜品,色香味形俱佳,让客人得到美味的享受。

颜色是皮肤:

香气是呼吸:

味道是灵魂:

名称是代码:

形态是身姿:

温度是气脉:

盛器是衣服:

请拍摄你最终的作品,并粘贴在这里,以兹纪念。